D1444438

Des enfants dans l'Histoire

Collection dirigée par Michel Pierre, Agrégé d'histoire
assisté par Élisabeth Sebaoun

Table des matières

A L'ÉPOQUE DES INCAS

Illustrations de Ginette Hoffmann

Texte de Sergio Purin
Archéologue
Conservateur des musées royaux
d'Art et d'Histoire de Bruxelles

casterman

Le soleil des Andes

LORSQUE le soleil se lève, perçant peu à peu la brume du haut plateau des Andes, le village de Lamay sommeille encore.

Dans la lumière pâle de l'aube, le givre scintille. En ce mois de mai, les nuits sont tellement froides...

La maison de Manco est silencieuse. A même le sol de terre battue, tout le monde dort. Seule, Cura, la mère, s'affaire autour du fourneau de pierre.

Le fumet de la soupe du matin, faite de viande et de pommes de terre séchées, emplit l'unique pièce de la maison.

Un cochon d'Inde se faufile dans le coin où les dormeurs, serrés les uns contre les autres, se protègent du froid de la nuit. Il s'approche de Huascar, un jeune garçon de neuf ans. De la couverture de laine d'alpaga, seuls dépassent ses cheveux noirs comme le jais et son visage au teint cuivré. Les vibrisses de la petite bête chatouillent le nez de Huascar. Surpris, il bondit, bousculant son père Manco qui, brutalement tiré de son sommeil, grogne.

— Huascar! tu pourrais te réveiller plus doucement, tu m'as fait sursauter.

7

– C'est un « cuy » qui m'a effrayé.

Sinchi, le frère aîné de Huascar, et Micay, sa jeune sœur, s'étirent en s'ébrouant. Seul, le dernier-né, un bébé d'un an qui recevra demain son premier nom, dort encore dans son berceau de bois.

La famille s'est rapidement réunie autour des assiettes fumantes, étalées à terre. Cura, adossée à son mari, lui sert son repas par-dessus l'épaule.

Huascar, pour chasser la fumée âcre du fourneau, soulève la tenture de la porte ; une lumière crue inonde la pièce. Dehors le ciel est limpide, sans un nuage.

– Allons, dit Manco, il est temps de partir travailler.

Toute la journée, comme chaque habitant de l'empire, il va effectuer la corvée due à l'Inca ; aujourd'hui, il devra restaurer la voie royale, endommagée par les pluies des mois précédents.

Sinchi, s'armant de sa fronde, demande à son frère de l'accompagner à l'enclos où sont rassemblés les lamas et les alpagas, qui fournissent la laine et la viande.

– Viens avec moi, Huascar, il faut sortir les bêtes. Après, tu iras chasser. Hier j'ai repéré un endroit plein d'oiseaux, je vais te le montrer. Prends mes nouvelles « bolas » pour faire une bonne chasse.

Dehors, aux cris des jeunes garçons, le troupeau sort lentement de l'enclos et se disperse dans les pâturages. Et lorsqu'un lama téméraire s'éloigne un peu trop, Sinchi arme sa fronde d'une pierre ronde et, d'un geste précis, atteint la croupe de l'animal.

Ce rappel à l'ordre suffit à le faire rentrer dans le troupeau.

– Bravo, joli coup ! s'écrie Huascar, admiratif.

8

Son grand frère le regarde, amusé, et lui pose la main sur l'épaule :

– Maintenant, tu peux aller chasser...

A la maison, pendant que ses fils gardent le troupeau, Cura allaite le dernier-né.

– Micay, va ramasser du petit bois. Tu sais que demain il y a fête, il faudra beaucoup de feu.

Leurs tâches accomplies, la mère et la fille s'installent dehors, au soleil. Hier, Cura a monté la chaîne du métier à tisser, elle peut commencer le tissage d'une tunique qu'elle offrira demain en tribut.

Micay, trop jeune encore pour ce travail, surveille son jeune frère en filant la laine. Elle fait tournoyer la quenouille où s'enroulent les brins filés entre ses doigts habiles.

Autour d'elles, les hommes restés au village s'affairent près des maisons. Sur le pas d'une porte, un groupe de paysans malaxent de la terre crue avant d'en faire des briques. Ils les exposent ensuite au soleil, où elles sécheront pendant plusieurs mois. Perchés sur une maison, trois paysans installent un toit d'herbes séchées qu'ils étalent sur une armature de bois.

Le soleil déclinant rougit à l'horizon lorsque Manco, Sinchi et Huascar reviennent au village.

Huascar, très fier, exhibe ses trophées de chasse : des oiseaux aux plumes noires, luisantes.

– Regardez tous, s'exclame-t-il, j'en ai attrapé dix !

– C'est bien, fier chasseur, mais dépêche-toi de rentrer, lui répond Manco. Demain, c'est fête et nous avons tous sommeil.

Le tissage

Pour tisser les vêtements, les Indiennes utilisaient un « métier à ceinture » accroché à un arbre ou à un pieu de bois enfoncé dans le sol.

Une fois les **fils de chaîne** tendus, elles passaient la **navette** remplie de laine et formaient la **trame** qu'elles resserraient au moyen d'un sabre de bois.

Avant de la tisser, les jeunes filles et les femmes filaient la laine de lama ou d'alpaga à l'aide d'un bâton pourvu d'une **fusaïole** en pierre ou en terre cuite.

Les vêtements très larges étaient confectionnés en assemblant plusieurs pièces de tissu avec des aiguilles d'os ou de bois.

Je t'appelle Poma

LE jour suivant, les parents, les proches et les invités de Manco arrivent par petits groupes sur la place de Lamay. Le soleil est passé au zénith, l'après-midi commence.

En attendant le prêtre, les participants s'alignent sur deux rangs parallèles et s'accroupissent.

Ninan, l'oncle de Huascar, chargé de présider la cérémonie, a seul l'honneur de s'asseoir sur un siège taillé dans un bloc de bois.

Pendant ce temps, à la rivière, Cura est en train de préparer son plus jeune fils. Elle prend de l'eau, la réchauffe dans sa bouche et la recrache ensuite sur le corps de l'enfant. Le bain terminé, elle l'emmaillote tendrement, pour la dernière fois, puis l'emporte vers la place du village. Là, elle dépose l'enfant dans son berceau, aux pieds de Ninan, avant de se retirer.

Le prêtre s'empare alors d'un couteau de silex et commence à couper les cheveux du jeune garçon, ne lui laissant qu'une touffe sur le devant de la tête; puis, tandis qu'il lui coupe les ongles, sa voix s'élève au-dessus de l'assemblée silencieuse :

13

– La force que je devine en toi me permet de t'appeler Poma (le puma). Tu porteras ce nom jusqu'au moment où tu seras un homme. Ce jour-là, je te donnerai un nouveau nom.

Après avoir soigneusement rassemblé dans une bourse les cheveux et les ongles coupés, Ninan libère Poma de ses langes et le vêt de sa première tunique. Puis il pose devant lui le gobelet de bois dans lequel il boira la chicha, la bière de maïs, le jour où il recevra son second nom, son nom d'homme. Les invités ne sont pas venus les mains vides, ils offrent des cobayes vivants, des épis de maïs et des cruches de chicha.

Les musiciens entament les airs et les chants de fête ; les femmes apportent des jarres de boisson, des cochons d'Inde rôtis, dont Micay a surveillé la cuisson.

Ninan, servi le premier, lance en l'air un morceau de viande destiné à Inti, le dieu du soleil ; puis, remplissant un gobelet de chicha, il en jette quelques gouttes à terre, offrant ainsi à boire à Pacha Mama, la mère Terre.

– Inti, accepte cette nourriture et apporte à Poma ta protection, lui qui vient de faire son entrée parmi nous. Pacha Mama, bois cette chicha et viens féconder le sol ; sois bonne pour nous.

Grisés par la bière et la musique, les hommes chantent, dansent. Les femmes, à l'écart, les observent du coin de l'œil. Elles éclatent de rire dès que l'un d'eux s'écroule et mord la poussière.

Une nuit sans lune enveloppe peu à peu le village. La fête se poursuivra jusqu'au lendemain ; aussi les femmes allument-elles des feux et des torches.

Huascar sent une torpeur l'envahir, ses yeux se ferment malgré lui, lorsqu'il entend son oncle l'appeler :

14

– Huascar, viens près de moi.

– Oui, Oncle Ninan, qu'y a-t-il?

– Dans quelque temps, je partirai rendre visite à mon ami Yupanqui qui vit à Cuzco. Tu es assez grand et vigoureux, maintenant, pour entreprendre un voyage de quatre jours, aussi ai-je décidé de t'emmener. Qu'en penses-tu?

Huascar saute de joie, n'en croit pas ses oreilles : visiter Cuzco, la capitale, c'est merveilleux !

Tout excité, il assaille son oncle de questions :

– Quand partirons-nous ? Verrons-nous l'Inca ? Je pourrai visiter le Coricancha et l'enclos doré ?

Ninan, un sourire malicieux aux lèvres, reste silencieux.

– Je te laisse la surprise de tout découvrir ; tu dois être patient jusqu'au jour du départ.

Lorsqu'au petit matin les invités quittent peu à peu la place du village, emportant flûtes et tambours, Manco ne tient plus sur ses jambes, il a trop bu et trop dansé et s'accroche au bras de Cura pour rejoindre la maison. Aujourd'hui les hommes vont récupérer leurs forces ; seules les femmes seront au travail.

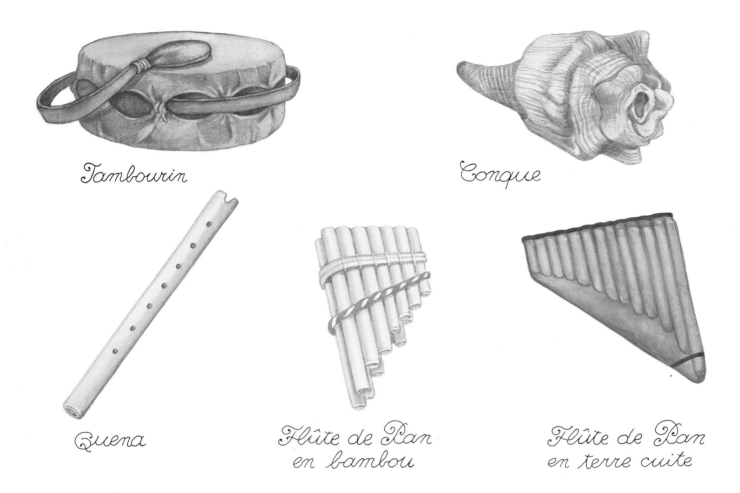

Tambourin

Conque

Quena

Flûte de Pan
en bambou

Flûte de Pan
en terre cuite

La quena et le tambour

Pour les fêtes villageoises et les danses, les Incas jouaient de la **quena,** une flûte taillée dans un roseau ou un os, et de la flûte de Pan, ou **syrinx,** composée de plusieurs tuyaux de roseau ou de terre cuite de longueurs différentes.

Ils se servaient également de tambours et de tambourins, formés d'une membrane tendue sur un socle en bois. Pendant les défilés officiels ou les processions sacrées, seuls les tambours et les trompes en coquillage étaient utilisés. Ce dernier instrument émettait des sons qu'on pouvait entendre de très loin et annonçait l'arrivée de l'Inca.

La route de Cuzco

LE soleil n'est pas encore levé lorsque Ninan soulève la tenture de la porte. Huascar est déjà debout, prêt à partir. Le grand jour est arrivé. Excité par le départ, il n'a pas fermé l'œil de la nuit.

Cura insiste pour qu'il prenne son repas avant de partir.

— Huascar, assieds-toi, prends le temps de manger ta soupe, la route sera longue. Ninan, assieds-toi aussi, je vais te servir.

— Merci, Cura. En effet, la route sera longue.

— Tenez, voilà quelques galettes de maïs pour le voyage.

Quand ils sortent de la maison, le soleil pointe à l'horizon. Il va éclairer leur chemin jusqu'à l'étape du soir.

Avant d'atteindre la route royale, une belle chaussée pavée qui mène à Cuzco, Ninan s'arrête à l'entrée d'une grotte. Dans ce lieu sacré et mystérieux, il dépose au sommet d'un monticule de pierres la petite bourse contenant les cheveux et les ongles de Poma.

Au bout de quelques heures, Huascar est un peu fatigué, le soleil est fort, la marche longue...

Avisant une construction de pierre en bordure de la route, il demande à son oncle d'y faire halte un moment.

19

– Ta nuit sans sommeil commence à se faire sentir... lui répond Ninan d'un ton taquin. Mais tu as raison, un peu de repos ne nous fera pas de mal.

A l'intérieur de l'édifice, un homme est assis, la tête dans les mains. Soudain des cris parviennent de l'extérieur. L'homme se lève précipitamment.

– Qui est-ce ? demande Huascar.

– C'est un messager, il va prendre le relais de celui qui criait et courir porter le message jusqu'au prochain poste, où un autre homme l'attend, à quelques heures d'ici. Ce soir, l'Inca connaîtra le contenu du message.

Lorsqu'un peu reposés ils quittent le relais des messagers, sur la route, une file d'une cinquantaine de lamas soulève la poussière, conduite pas un caravanier.

– D'où viens-tu avec ce troupeau ? lui demande Ninan.

– J'arrive des mines du Potosi à des journées de marche d'ici avec tout un chargement d'or et d'argent destiné aux orfèvres de l'empereur, l'Inca.

Huascar et Ninan accompagnent la caravane quelque temps. Mais au croisement d'une route secondaire, leurs chemins se séparent.

Les voyageurs souhaitent bonne route à leur compagnon et s'engagent dans un sentier qui grimpe vers les sommets. L'air bientôt se raréfie, les marcheurs s'essoufflent. Pour atténuer les effets de l'altitude, Ninan prend dans son sac quelques feuilles de coca et les mâche.

Le chemin longe maintenant un précipice où coule un torrent capricieux.

– Comment passerons-nous sur l'autre rive ? demande Huascar.

20 – Regarde, la réponse est devant toi, lui répond Ninan.

Il désigne du doigt une étrange installation au détour du chemin : un gros câble, sur lequel glisse une nacelle d'osier, reliant deux poteaux de bois.

– Nous allons traverser grâce à cet engin, suspendus au-dessus du vide ?

Inquiet, Huascar lance un coup d'œil au fond du ravin, puis détaille la nacelle qui lui semble bien fragile.

– Oui, mais ne crains rien, le rassure Ninan, amusé. Deux gardiens veillent à l'entretien et ils nous feront passer à tour de rôle.

En s'installant dans le panier, Ninan jette sa chique de coca, humide de salive, dans le précipice.

– C'est pour engourdir les mauvais esprits qui voudraient nous attirer au fond du ravin, explique-t-il à Huascar.

Lorsque vient son tour, l'enfant se cramponne mais garde courageusement les yeux ouverts, fixés sur l'autre rive ; ses jambes tremblent un peu ; il n'avait jamais encore ressenti cette étrange peur du vide.

Le soleil commence à décliner, illuminant de ses derniers rayons les pics enneigés. Il est bientôt l'heure de s'arrêter. Huascar et Ninan poursuivent encore leur route jusqu'au Tambo Machay, un relais de voyageurs où coulent des sources d'eau chaude.

Les nombreux voyageurs sont déjà installés pour la nuit sur le sol du dortoir. Ninan et son neveu avalent rapidement leurs galettes de maïs.

Épuisé par cette longue marche, confortablement enroulé dans une chaude fourrure de lama, Huascar ne résiste pas longtemps au sommeil.

22

Les tunnels et les ponts

L'empire inca était traversé par deux grandes voies : l'une longeait la côte du Pacifique, l'autre parcourait le haut plateau. Des routes secondaires, qui remontaient les vallées, reliaient ces deux grands axes.

La route de la mer, large de quatre à cinq mètres, était bordée d'un mur de terre séchée, le **pisé**, parfois décoré de peintures représentant des animaux.

Sur la **puna** (le haut plateau), la chaussée était plus étroite, pavée de pierres plates et dépourvue de mur. Traversant des régions accidentées, elle avait obligé les Incas à creuser des tunnels dans les montagnes, à jeter des ponts suspendus sur les ravins, à construire des digues sur les zones marécageuses. Au-dessus des ravins plus étroits, un câble tendu entre deux poutres, sur lequel circulait une nacelle, assurait le passage des voyageurs d'un bord à l'autre.

Le jardin d'or

LORSQUE Huascar et Ninan quittent le Tambo Machay, la lumière de l'aube éclaire à peine la route qui mène à Cuzco. L'enfant marche d'un bon pas aux côtés de son oncle qui lui raconte l'histoire de la capitale de l'empire.

– Autrefois, en des temps très lointains, les hommes vivaient comme des bêtes sous le regard attristé du Soleil, père de l'humanité. Pour leur venir en aide, il envoya sur terre deux de ses enfants, Manco Capac, son fils, et Mama Occlo, sa fille, qui devaient apprendre aux hommes à cultiver, à élever des animaux et à vivre en paix. Ils s'installèrent près du lac Titicaca avec pour mission de trouver un endroit où ils pourraient planter d'une seule poussée un bâton en or, confié par le Soleil, leur père. Ils cherchèrent très longtemps, parcourant plaines et collines, plateaux et montagnes, mais jamais le bâton ne s'enfonçait dans le sol. Un jour, ils s'arrêtèrent dans la vallée que tu distingues là-bas. Manco refit le geste habituel; le bâton, cette fois, disparut d'un seul coup, comme aspiré par les entrailles de la terre. Autour de ce lieu sacré, il commença à rassembler les peuples qui se mirent à bâtir des temples pour adorer le soleil. Ainsi naquit Cuzco, le « nombril » du monde.

25

Cuzco! la ville des descendants du Soleil! La cité de l'Inca s'étend maintenant devant Huascar. Il aperçoit les toits des temples et des palais; pressant le pas, attiré par les splendeurs qu'il espère découvrir, Huascar pénètre dans la ville, suivi par son oncle. Tous deux sont happés par la foule bruyante et colorée qui s'affaire entre les innombrables échoppes des artisans et des marchands. Intrigué, le jeune garçon s'arrête devant une femme qui pare de plumes multicolores un riche vêtement. Amusée par la surprise de l'enfant, elle lui offre une petite poignée de plumes bleues qu'il s'empresse de mettre précieusement dans son sac.

Cheminant à travers les rues étroites bordées de hauts murs de pierre, Huascar et Ninan arrivent enfin chez Yupanqui. Leur hôte les accueille avec joie et les entraîne vers le Coricancha, l'enclos doré où se déroule une cérémonie en l'honneur de Viracocha, le dieu créateur.

La foule est déjà nombreuse devant le temple à la façade brillante de plaques d'or. Brusquement, les trompettes annoncent la sortie du cortège impérial. L'Inca et son épouse paraissent, trônant majestueusement sur une litière d'or et d'argent portée par des hommes vêtus de bleu. Malheur à qui trébucherait, il serait immédiatement mis à mort!

Sur d'autres palanquins, les prêtres ont installé les momies des empereurs défunts. Comme l'Inca, ils portent de riches vêtements tissés et arborent de nombreux bijoux.

Au lieu d'accompagner le cortège, Yupanqui fait signe à Huascar et Ninan de le suivre discrètement. Les deux hommes et l'enfant pénètrent dans le temple, se dirigent vers le fond du bâtiment et parcourent un dédale de couloirs qui les mène vers un jardin. Stupéfait, saisi de crainte et d'admiration, Huascar se trouve plongé dans un univers irréel. Des

oiseaux, des singes, des jaguars se présentent devant ses yeux au milieu d'arbres aux feuilles immobiles. Nul cri, nul bruit, nul rugissement ne sort de ce milieu fabuleux, car ici, plantes et animaux, tout est en or et en argent ! L'effet est si éblouissant qu'il faut plisser les yeux pour découvrir les détails de chaque bête et de chaque plante.

Mais il faut bientôt s'arracher de l'incroyable spectacle ; Yupanqui a déjà rebroussé chemin, il ne s'agit pas de traîner en ce lieu interdit à ceux qui n'y travaillent pas...

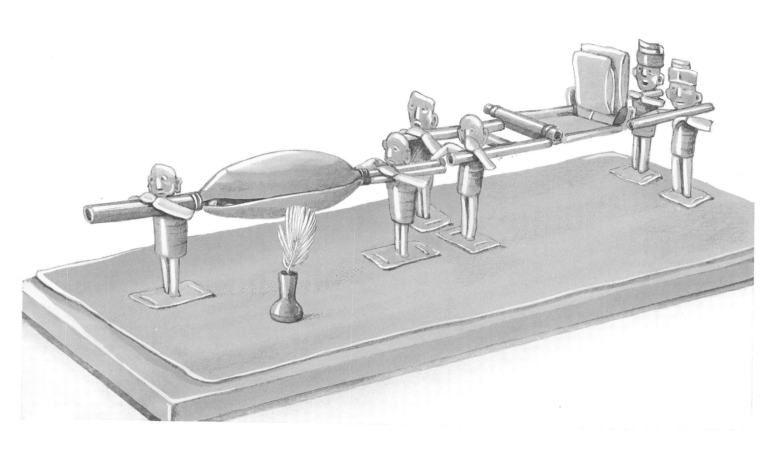

La sueur du soleil

Les artisans indiens, pour fabriquer les objets de parure et de décoration uniquement destinés à l'Inca et à la noblesse, utilisaient les métaux précieux : l'or et l'argent. Selon eux, l'or provenait de la sueur du soleil et l'argent des larmes de la lune.

Ils martelaient des lingots de métal sur une forme en bois sculpté pour façonner les bijoux, les vases ou les statuettes. Les objets d'usage courant, tels que les couteaux, les ciseaux des tailleurs de pierre ou les armes de guerre, devaient être robustes ; aussi utilisaient-ils le cuivre et surtout le bronze.

La déesse Pomme de terre

AU lever du soleil, Huascar et Ninan se sont remis en route. Yupanqui leur a offert de la nourriture, des présents, quelques épingles et des couteaux de cuivre.

Dès la sortie de Cuzco, ils entament l'ascension de la colline où se dressent les formidables remparts de la forteresse de Sacsahuaman. Devant les portes et sur les murailles, des guerriers sont en faction, armés de frondes, de casse-tête, de lances et de boucliers. La forteresse est vaste et sa construction n'est pas achevée. Par centaines, des ouvriers y travaillent encore. Sur une chaussée faite de rondins de bois, ils tirent d'énormes blocs de pierre destinés à l'enceinte.

— C'est un travail énorme, constate Huascar. Font-ils cela tous les jours ?

— Oui, certains. Les tailleurs de pierre et les maîtres d'œuvre ne changent jamais d'activité. Toute leur vie est consacrée à la construction et à l'entretien des forteresses, des routes, des palais de l'empire.

— Et les guerriers ! ils restent en armes leur vie entière ?

— Non, la guerre n'est pas un métier. En cas de conflit,

33

l'Inca recrute tous les hommes valides parmi les paysans de l'empire. Lorsque vient l'ordre de se préparer à combattre, ils se rendent dans les nombreux bâtiments du pays où se trouvent en permanence de la nourriture, des vêtements et des armes. Chaque village est à proximité de l'une de ces réserves où tout est prêt pour équiper les guerriers. Quelques années avant ta naissance, j'ai été ainsi convoqué. On m'a donné un casse-tête, une lance, une couverture, et j'ai suivi l'empereur Huayna Capac jusqu'au Chili, bien loin d'ici, très au sud. Des populations s'étaient révoltées contre notre Inca et il fallait les châtier. Nous avons traversé des montagnes couvertes de neige, puis un désert où nous étions écrasés par la chaleur durant le jour et où nous mourions de froid la nuit. Quand nous avons rencontré l'ennemi, nous nous sommes battus. Les combats ont été horribles, mais je préfère ne pas en parler. Ne me pose plus de questions, regarde plutôt !

Autour des deux voyageurs, le paysage est trop serein et les activités des paysans sont trop pacifiques pour songer plus longtemps aux guerres lointaines et aux souvenirs de Ninan. Sur des terrasses bien cultivées, des hommes et des femmes arrachent des pommes de terre avec une bêche, le *taclla.* Dès qu'un sac est rempli, une paysanne le charge sur son dos et remonte la pente d'un pas lourd avant d'étaler les tubercules sur un terre-plein, devant les maisons. Ils y resteront exposés ainsi, des jours entiers ; ils se dessécheront peu à peu sans pourrir et constitueront des réserves appréciables jusqu'à la prochaine récolte.

Soudain, un paysan, penché vers le sol, relève son taclla et pousse un cri en brandissant une pomme de terre.

— C'est Axomama, la déesse Pomme de terre! Protégeons-la. Si nous la conservons précieusement, elle nous assurera une prochaine bonne récolte!

Ninan et Huascar se sont approchés.

— Huascar, vois comme la forme de cette pomme de terre rappelle étrangement celle d'un être humain. N'oublie jamais: chaque plante que tu connais ou que tu cueilles, représente une divinité. Il faut donc les respecter, les vénérer, explique Ninan. Mais le soleil décline, il est temps de partir!

Huascar et Ninan doivent encore traverser un pont avant d'arriver au Tambo où ils passeront la nuit. Au-dessus d'un énorme ravin, deux grands ponts suspendus se balancent dans le vide. Avant de s'engager sur le pont emprunté par des voyageurs et des caravanes de lamas, Ninan paie le gardien avec quelques fruits offerts par Yupanqui.

— Pourquoi passent-ils tous sur le même pont? demande Huascar. L'autre ne sert à rien?

— Si, il est réservé à l'Inca et à sa famille. Eux seuls peuvent l'utiliser.

Forteresse du Machupicchu

Le travail des pierres

Sous la direction d'un architecte et d'un maître maçon, le tailleur de pierre extrayait les blocs dans des carrières. Pour les transporter jusqu'au chantier, des centaines d'hommes les faisaient ensuite rouler sur des rondins de bois.

L'artisan taillait alors la pierre selon la forme désirée avec un ciseau ; enfin, pour obtenir une surface lisse, il la polissait avec du sable humide.

Une fois le travail achevé, on hissait la pierre sur le mur à l'aide d'un plan incliné.

Le marché de Pisac

SUR le chemin du retour, Huascar et Ninan ont fait halte au marché de Pisac, l'un des plus importants de tout le Pérou. La place de la ville est occupée par d'innombrables étals, tous tenus par des femmes, assises à même le sol. Leurs marchandises présentées sur une étoffe, elles attendent les clients en filant de la laine.

Dans le coin des fruits et légumes, Huascar hume l'air, attiré par une odeur étrange, à la fois lourde et suave. Il cherche à repérer d'où provient l'agréable parfum. Devant lui, une femme a disposé sur un tissu rouge des fruits jaunes tachetés de brun qui ressemblent à des croissants de lune.

— Ce sont des bananes, lui dit son oncle tout en donnant à la marchande une belle épingle en échange d'une dizaine de fruits dont il offre le plus mûr à Huascar.

— D'où viennent ces fruits ? demande l'enfant en avalant gloutonnement une grosse bouchée.

— Des régions chaudes et humides de l'empire. D'autres fruits que tu vois ici, comme les ananas, les papayes, les goyaves, poussent dans ces lointaines provinces.

Au marché, des femmes proposent également des épis de

maïs, des cacahuètes, des patates douces et des avocats; d'autres vendent de la céramique, des couteaux et des épingles.

Il y a même une vendeuse de poisson, un produit rare pour ceux qui vivent sur les hauts plateaux. Ninan voudrait bien en ramener au village, mais le prix en est exorbitant. Finalement, après un long marchandage, il échange cinq petits poissons contre deux couteaux de cuivre.

En parcourant le marché, Ninan et Huascar aperçoivent le collecteur d'impôts, venu compter les sacs contenant les diverses denrées payées comme tribut par les habitants de Pisac. Pour ses calculs, l'homme utilise le *quipu*, un assemblage de cordelettes de plusieurs couleurs. A chaque produit enregistré, il fait un nœud dans une des cordelettes dont chaque couleur correspond à une denrée précise. Cette tâche terminée, il enregistre maintenant le nombre de naissances et de décès survenus dans la ville depuis son dernier passage. Un messager se charge ensuite du quipu qui, par le système de relais, sera finalement confié aux fonctionnaires du palais de l'Inca.

Sur la place, le marché se vide peu à peu. Les marchandes replient leur toile contenant leurs produits invendus et chargent le tout sur leurs épaules. Pour Ninan et Huascar, c'est le signal du retour.

Les dernières heures de marche qui les séparent de Lamay sont rapidement effectuées. Dès leur arrivée au village, leurs parents et amis se précipitent vers eux.

Dans la maison de Manco, Ninan distribue le poisson et les bananes, alors que Huascar est assailli par les questions de Cura et de Micay qui sont les seules à n'être jamais

40

sorties de leur village. Quant à Poma, indifférent à toute cette agitation, il essaye d'attraper un cochon d'Inde qui s'est faufilé entre les jarres dans lesquelles Cura entrepose les vêtements et les réserves de nourriture. Huascar, rempli de fierté, raconte, décrit son long voyage. Mais il garde précieusement un secret, la visite du Coricancha et de son jardin tout en or... et, au fond de son sac, sa main caresse les plumes bleues.

Pomme de terre

Maïs

Ananas

Cacahuètes

Piment

Papaye

Avocat

Haricots

Bananes

Goyave

Le maïs et la banane

Les Incas consommaient de nombreuses plantes que nous mangeons aujourd'hui. Comme la pomme de terre, originaire du Pérou, l'avocat, appelé poire par les Espagnols au moment de la Conquête, les cacahuètes, les haricots.

Le maïs, connu de toutes les civilisations du continent américain, était à la base de l'alimentation des Incas. Les grains séchés et durcis au soleil étaient broyés en farine pour en faire des galettes et des bouillies.

Les Incas mangeaient également des fruits cultivés dans des régions tropicales. Ils appréciaient particulièrement la goyave et la papaye pour leur douceur, mais consommaient également des bananes et des ananas.

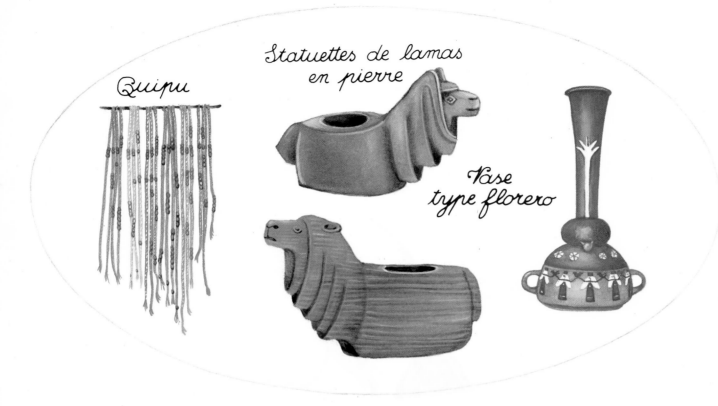

Quipu

Statuettes de lamas en pierre

Vase type florero

Où retrouver les Incas ?

Aujourd'hui, de nombreux vestiges archéologiques sont dispersés au Pérou, en Équateur, en Bolivie et au Chili, témoignant de l'étendue de l'empire inca et du savoir-faire de ses architectes. Parmi les sites connus, le plus célèbre reste le Machupicchu, découvert en 1911 par l'Américain Hiram Bingham.

En Europe, plusieurs musées possèdent des collections d'objets incas :
— Le Musée de l'Homme, au Palais de Chaillot, à Paris.
— Les Musées Royaux d'Art et d'Histoire, à Bruxelles.

La mort de l'empire inca

En avril 1532, attiré par la richesse de l'empire inca, le conquistador Francisco Pizarre débarque sur les côtes du Pérou. Le pays est en pleine guerre civile, ce qui facilite la conquête de l'Espagnol. Francisco Pizarro rencontre l'Inca Atahualpa et lui tend un guet-apens. L'empereur, fait prisonnier, est exécuté l'année suivante ; des milliers d'Indiens sont massacrés.

En quelques années, les conquérants prennent possession de tout l'empire et organisent le travail forcé de la population.

Inca époque précolombienne

Tupac Amaru II

Indien d'aujourd'hui

Petite chronologie

60000 av. J.-C. : Débuts du peuplement de l'Amérique par des tribus originaires d'Asie qui franchissent à pied une bande de terre ferme aujourd'hui envahie par l'eau du détroit de Behring.

5000 av. J.-C. : Le maïs commence à être cultivé en Amérique centrale ; sa culture se répand ensuite sur tout le continent.

1000/300 av. J.-C. : Épanouissement puis déclin de la civilisation olmèque, première grande civilisation américaine.

XIIIᵉ/XVᵉ siècle : Empire inca. Douze empereurs se succèdent sur un territoire (centré sur le Pérou actuel) peuplé de 16 millions d'habitants.

1532/1533 : Débuts de la conquête espagnole.

1571 : Les dernières résistances incas à la présence espagnole sont noyées dans le sang.